La veillée de Noël

Texte
Emmanuelle Massonaud

Illustrations
Thérèse Bonté

hachette
ÉDUCATION

Avec Sami et Julie, lire est un plaisir !

Avant de lire l'histoire

- Parlez ensemble du titre et de l'illustration en couverture, afin de préparer la compréhension globale de l'histoire.
- Vous pouvez, dans un premier temps, lire l'histoire en entier à votre enfant, pour qu'ensuite il la lise seul.
- Si besoin, proposez les activités de préparation à la lecture aux pages 4 et 5. Elles permettront de déchiffrer les mots les plus difficiles.

Après avoir lu l'histoire

- Parlez ensemble de l'histoire en posant les questions de la page 30 : « As-tu bien compris l'histoire ? »
- Vous pouvez aussi parler ensemble de ses réactions, de son avis, en vous appuyant sur les questions de la page 31 : « Et toi, qu'en penses-tu ? »

Bonne lecture !

Conception de la couverture : Mélissa Chalot
Réalisation de la couverture : Sylvie Fécamp
Maquette intérieure : Mélissa Chalot
Mise en pages : Typo-Virgule
Illustrations : Thérèse Bonté
Édition : Laurence Lesbre

ISBN : 978-2-01-787378-5
© Hachette Livre 2020.

www.parascolaire.hachette-education.com

Achevé d'imprimer en janvier 2021 en Espagne par Unigraf
Dépôt légal : Octobre 2020 - Édition 02 - 81/5735/2

Les personnages de l'histoire

Mamie · Maman · Papi · Papa · David · Tatie · Le bébé

Sami

Julie · Tobi · Emma

1 Montre le dessin quand tu entends le son (eil) comme dans le mot v<u>eil</u>lée.

2 Montre le dessin quand tu entends le son (eu) comme dans le mot v<u>œu</u>x.

3 Lis ces syllabes.

pei	bou	pré	len	drier	être	bre

chou	ette	main	ouf	sui	van

4 Lis ces mots-outils.

sur son et du

pour c'est demain très

5 Lis les mots de l'histoire.

spectacle   poésie   sapin

lutin   bûche   conte de Noël

5

À peine debout, Sami

se précipite sur son calendrier

et ouvre la fenêtre

du 23 décembre.

– Chouette ! dit-il, demain

nous partons chez Papi et

Mamie pour fêter Noël.

– Oh, là, là ! répond Julie,

je dois finir ma poésie pour

notre spectacle.

Julie s'applique : elle écrit,
rature, corrige, recommence.
Ouf, c'est fini !

– Que c'est joli ! la félicite Sami très admiratif.

Vite, Père Noël, mets ton cache-nez.
C'est la belle nuit de Noël
Les enfants attendent leurs jouets
C'est la belle nuit de Noël
Paix, amour et vive Noël !

Le jour suivant, après une longue route, toute la famille arrive enfin chez Papi et Mamie.

Sami et Julie sont éblouis.

– Le sapin est encore plus grand que le nôtre, s'écrie Sami.

Pendant l'apéritif, Julie murmure à Emma :

– Tu vas tenir le rôle d'un lutin dans notre spectacle.

Emma est un peu intimidée.

– C'est facile, la rassure Sami : tu feras tout comme moi !

Pendant le dîner, Julie dit

à Papa qu'ils sont prêts pour

leur spectacle.

Alors, tout à coup, Papa tapote

sur son verre et annonce :

– Silence : le spectacle va

commencer !

Déguisés en lutins, les enfants apparaissent à la queue leu leu, tirés par Tobi et chantant *Les Trois Petits lutins*.

Tout le monde reprend

en canon ; même Bébé y va

de sa chanson.

Mais, quand Julie récite

sa poésie, chacun fait aussitôt

silence.

– *Paix, amour et vive Noël !*

répètent en chœur

les trois enfants sous
(Z)

les bravos des parents.

Très émus, Papi et Mamie
(Z)

essuient une petite larme

de bonheur.

– Vous méritez une grosse part de bûche ! s'écrie Papa.

Tout le monde se régale.

Il est bien tard ; les enfants sont fatigués.

– Minute, s'anime Papi : il reste encore le temps de lire un conte de Noël !

Et, pendant que Papi raconte

La Petite Marchande d'allumettes,

les yeux commencent à se faire

(Z)

lourds.

Quand Papi referme le livre,

Sami s'écrie :

– Chouette, c'est enfin l'heure

du Père Noël !

– Comment veux-tu que le Père Noël passe, si vous n'êtes pas couchés ? dit Papi. Allez, ouste : tout le monde au lit !

Sami et Julie filent dans leur chambre. Mais, très vite, ils réapparaissent sur la pointe des pieds.

– Euh, on a oublié de mettre les sablés et le lait pour le Père Noël, chuchote Julie.

– Bon, dit Papa, faites vite.

Il est minuit moins dix : si dans

dix minutes vous ne dormez pas,

le Père Noël ne passera pas

chez nous.

Julie se tourne et se retourne dans son lit.

– Sami, tu crois que le Père Noël va passer ? demande-t-elle, inquiète.

Mais Sami dort profondément ; et dans le ciel, approche déjà le Père Noël avec sa hotte remplie de surprises...

As-tu bien compris l'histoire ?

1 Où Sami et Julie fêtent-ils Noël ?

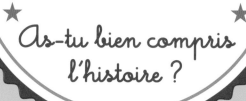

2 En quoi sont déguisés Sami et Julie pour leur spectacle ?

3 Qui a écrit le poème qui est lu à la fin du spectacle ?

4 Quel conte de Noël Papi lit-il ?

5 Que déposent Sami et Julie pour le Père Noël ?

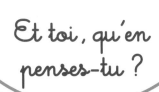

Et toi, qu'en penses-tu ?

Et toi, avec qui fêtes-tu Noël ?

Prépares-tu un spectacle pour Noël ?

Quelle est ta chanson de Noël préférée ?

Est-ce qu'on te lit une histoire le soir de Noël ?

Est-ce que tu as déjà écrit un poème comme Julie ?

As-tu lu tous les Sami et Julie ?

Niveau 1 — Début de CP

Niveau 2 — Milieu de CP

Niveau 3 — Fin de CP

Niveau CE1